사춘기!
미술로 소통하기

스토리텔링을 활용한
중등미술교육 운영하기

글·이은미

사춘기 미술로 소통하기

발 행 | 2024년 06월 27일
저 자 | 이은미, 행복한 뮈쌤
펴낸이 | 한건희
펴낸곳 | 주식회사 부크크
출판사등록 | 2014.07.15.(제2014-16호)
주 소 | 서울특별시 금천구 가산디지털1로 119 SK트윈타워 A동 305호
전 화 | 1670-8316
이메일 | info@bookk.co.kr

ISBN | 979-11-410-9113-2

www.bookk.co.kr

사춘기!
미술로 소통하기

이은미 지음

- 목차 -

<프롤로그>

"선생님 미술을 왜 배워야 하나요?"

<에필로그>

"날 기다리는 포켓몬 빵 스티커"

- 프롤로그 -

"선생님 미술을 왜 배워야 하나요?"

그림을 그리지 않고 딴청만 주야장천 피우는 학생에게 그만 떠들고 수업에 집중하자고 말하자, 사춘기 특유의 반항기 어린 눈빛을 가득 채운 한 남학생이 내게 던진 질문이다.

나는 미술 수업이 시작되는 첫 시간에 항상 '미술을 왜 배워야 하는가?'에 대한 질문을 칠판에 써 놓거나 프린트하여 학생들에게 동기부여 하는 과정을 반드시 거친다.
그래도 학생들은 늘 묻는다.

"미술을 왜 배워야 하나요? 화가가 될 것도 아닌데 ……."

이 질문을 던진 학생이 나타날 때마다 미술에 흥미를 갖지 못하는 것에 대한 안타까운 마음과 교사라는 사명감을 가지고 미술을 왜 배워야 하는지에 대한 설득과 설명을 수없이 반복하였다. 그러나 내 설명을 끝까지 듣지도 않고 한숨을 푹~ 쉬는 학생의 표정을 보며 문득 깨닫게 되었다. 그동안 이 질문을 한 대부분 학생은 미술을 왜 배워야 하는지는 궁금하지 않았다는 것을……

'지루하고 흥미 없는 그림을 그리고 싶지 않다. 즉 미술이 재미없다'라는 이야기를 사춘기 언어로 표현했다는 사실을 깨닫는 순간이었다.

그렇다면 어떻게 해야 학생들이 '미술을 왜 배워야 하지?'라는 생각이 들지 않도록 수업을 재미있게 구성할 수 있을까? 그리고 내가 잘할 방법은 뭐가 있을까? 수없는 질문과 고민 끝에 나온 답은 스토리텔링이었다.

영·유아, 아동 미술교육 경험을 토대로 프로그램을 개발하고 교육하기를 좋아했던 나의 장점을 살려 이야기를 재미있게 만들어보기로 했다. 수업의 도입에 집중할 수 있게 하고 그것을 통해 열심히 하고 싶은 동기가 생기면 작품을 통해 자신의 이야기를 만들 수 있겠다는 생각이 들었다. 학생들이 어려워하고 잘 해내야 하는 부담을 뛰어넘을 수 있는 재미있는 수행평가를 해보자! 그것이 나의 시작이었다.

이 이야기는 어쩌면 기대한 만큼 그리 대단치도 않은 방법일 수도 있다. 하지만 당황스러운 상황이 생길 때마다 자기 경험을 나눠주셨던 선배 교사 선생님들의 조언을 통해 위로와 방법을 찾았던 것처럼 나와 같은 질문을 받고 당황하고 있는 선생님들과 사춘기를 지내고 있는 학생들이 두려운 예비교사에게 내가 수업하고 소통했던 이야기들을 함께 나누어보고자 한다.

1. 이해.
스토리텔링과 중등미술
교과과정이 궁금해

1) 스토리텔링이 왜 필요해요?

2) 중등미술 교육 + 스토리텔링의 교육적 효과는?

1. 이해 – 스토리텔링과 중등미술 교과과정이 궁금해

"스토리텔링을 활용한 미술 수업은 환상의 짝꿍이다."

1) 스토리텔링이 왜 필요해요?

(1) 스토리텔링 이해하기

스토리텔링은 우리 자신이 직접 경험한 이야기, 전해 들은 이야기, 지어낸 이야기를 다른 사람에게 들려주면서 서로의 상상력과 감성을 주고받는 소통의 한 방식이다.[1) 따라서 상황, 배경, 사람에 따라 다양하게 표현할 수 있고, 스토리텔링의 방식이 변화되기도 한다.

스토리텔링은 '스토리(story) + 텔링(telling)'의 합성어로서 말 그대로 '이야기한다'라는 의미를 지닌다. 즉 상대방에게 알리고자 하는 바를 재미있고 생생한 이야기로 설득력 있게 전달하는 행위이다. 미국 영어 교사 위원회(National Council of Teachers of English)에서는 스토리텔링을 음성(voice)과 행위(gesture)를 통해 청자들에게 이야기를 전달하는 것이라고 정의하는데, 대개 스토리텔러 (storyteller)들은 이 단어를 이야기를 하는 사람과 이야기를 듣고 상상력을 발휘하는 청자 간의 상호작용의 과정이라 말한다.

셜리 레인즈는 이야기(story), 청자(listener), 화자(teller)가 존재하고, 청자가 화자의 이야기에 참여하는 이벤트라고 주장하기도 한다.[2] 이야기는 시간의 연속성이 있지만 행위나 동작의 성질을 가지지 않는다. 그러나 story에 telling이 붙으면서 행위가 부가된다. 즉, 이야기에 행위가 첨가되어 만들어진 내용을 전달하는 것이 스토리텔링의 방식이다.

(2) 스토리텔링의 필요성

2015 개정과 2022 개정 미술과 공통 교육과정 영역의 목표를 살펴보면 "다양한 미술 활동을 통하여 대상을 감각적으로 인식하고, 느낌과 생각을 창의적으로 표현하며, 미술 작품의 가치를 판단함으로써 삶 속에서 미술 문화를 향유할 수 있는 능력을 기른다."[3], "대상과 현상에 대한 미적 체험을 바탕으로 느낌과 생각을 표현하고 감상하는 활

동을 통하여 자신과 세계를 이해하고 미술 문화 창조에 주도적으로 참여할 수 있다.4)"라고 기술되어 있다.

느낌과 생각을 창의적으로 표현하고 미술 문화의 이해와 주도적 참여하는데 목표를 두고 있다. 미술은 타인 생각을 이해하고 자신의 느낌을 표현함으로써 감상과 창작을 경험하는 좋은 텍스트가 된다.

미술교육에 스토리텔링이라는 매개체는 공감과 소통이라는 표현을 통해 흥미를 느끼게 됨으로써 학습 동기를 이끌도록 접근하는 방법이 되므로, 교육 현장에 큰 필요성을 가진다고 본다. 따라서 스토리텔링을 활용한 미술교육 과정을 운영해 보았던 경험 서사를 기록하고자 한다.

2) 중등미술 교육 + 스토리텔링의 교육적 효과는?

청소년기의 학생들은 새로운 사고방식, 기억, 사고, 추리 표현, 창조, 이해 등의 인지능력이 확대되고 있는 시기이다. 추상적 개념보다 구체적인 사실이나 형상에 더 매력을 느끼는 경향이 있다. 정서적인 측면과 통합적인 사고의 측면에서도 그러한 경우가 많다. 미술은 독창적인 창의성과 상상력을 표현하고 자신의 이야기를 온전히 담을 수 있다.

여기에 스토리텔링을 활용한다면 관심도 없는 유명한 작품과 화가의 이야기를 배우거나 머리 아픈 미술사를 억지로 공부해야 하는 강제성을 벗어나 자신의 관심사와 내면에서부터 출발할 수 있다. 즉 자기 자신으로부터 구체적이고 본질적이며 정서적인 이야기에 의지한다는 점에서 스토리텔링을 활용한 미술 수업은 환상의 짝꿍인 셈이다. 스토리텔링을 자연스럽게 연결해 학생들의 이야기를 시각적표현으로 담아내기에도 미술은 매우 적합하다.

미술 수업에서 학생들은 자신의 이야기를 스토리텔링을 통해 드러낸다. 이야기를 구상하며 그림으로 표현하는 과정을 통하여 주체적 관점에서 세상을 바라보게 된다.

또한 그 과정에서 새로운 의미를 부여한다. 구도를 잡고 색채를 선택하면서 "어떻게 할까요?"가 아닌 "이렇게 하고 싶은데 어떨까요?"라는 질문을 내게 가져오며 방향성에 대해 조언받고 스스로 고민도 하고 때론 만족해하며 작품을 완성한다.

작품을 완성하는 과정에서 스토리텔링을 적용한다는 것은 스스로 경험을 다양하게 형상화하고, 감상하고 발표하는 과정 가운데 문화 해독력과 비평적 관점을 성취하고, 타의 경험과 소통하고 공감하는, '통찰(Insight)'의 과정이라고 할 수 있다.[5] 이것이 미술 수업에서 스토리텔링의 적용이 갖는 교육적 효과임을 기대한다.

2. 수업.
스토리텔링으로
미술수업 운영하기

1) 현대풍속화 속에서 본 너와나의 모습

2) 명화패러디로 개그본능 찾아내기

3) 초현실주의 세상에서 너의 세상을 펼쳐봐

2. 스토리텔링으로 미술 수업 운영하기

"그림으로 자신의 이야기를 할 때 통찰과
소통으로 깊이 있는 공감을 이룬다."

1) 현대풍속화 속에서 본 너와 나의 모습

풍속화는 선조들의 생활 풍속이 담긴 그림인 만큼 그 시대의 환경과 서민들의 생생한 일상과 생활 모습이 관찰된다. 학생들과의 소통은 수업에 있어 매우 중요하다. 그러나 그들의 부모와 비슷한 나이인 내가 그들의 문화와 세대 차이를 극복하고 공감하며 소통하는 것은 전혀 쉽지 않았다.

늘 학생들과 소통하고 싶지만 나는 그들의 세상과 이야기에 대해 아는 게 별로 없다. 현대풍속화라는 주제는 그들의 풍속을 담기 때문에 학생들의 모습과 이야기를 아주 솔직하게 들여다볼 수 있는 기회로 활용할 수 있다. 나는 현대풍속화로 그들의 이야기를 아주 재미있게 들여다보고 있는데 정말 놀랍도록 흥미로운 이야기가 많다.

수업은 총 4차시로 구성하였고 전통 풍속화에 스토리텔링을 활용하여 이야기를 들려주며 작품을 감상하고 이해할 수 있도록 하였다. 학생들은 선생님이 만든 이야기를 듣고 웃기도 하고 현재의 수업 모습과 비교하기도 했다.

현대풍속화의 4차시의 수업 구성은 아래와 같다.
(1차시) 스토리텔링을 활용한 동기유발 질문과 퀴즈
(2차시) 학생들의 풍속 사진을 가지고 스토리텔링 하기, 이름 전각 디자인
(3차시) 사진을 보고 크라프트지에 그림으로 옮기고 제목과 시를 만들기
(4차시) 채색과 이름 전각 넣기, 감상과 마무리

 * 동기유발 질문하기

질문 1. (PPT 자료 : 김홍도의 서당)이 그림 많이 보았지요? 아는 사람 있나요?
질문 2. 우리는 이 그림을 왜 풍속도라고 할까요?
질문 3. 왜 풍속도는 가치가 있는 것일까요?

* 답에 대한 피드백

네 맞습니다. 옛날 것은 소중하죠. 단지 옛날 것이기 때문에 가치가 있기보다는 그때의 생활 모습을 알 수 있기 때문이에요 김홍도의 서당은 조선시대의 생활풍습이 잘 표현되어 있고 우리는 그 시대 사람들이 어떤 모습으로 어떤 문화를 살았는지 들여다볼 수 있답니다.

* 김홍도의 서당으로 스토리텔링 들려주기

김홍도의 서당(출처-네이버 지식백과)

안녕? 나는 만덕이야 너희와 같은 나이지만 조선시대를 살고 있지 미래를 사는 너희도 서당에 다니면서 열심히 공부하고 있겠지? 나는 오늘도 우리 서당의 꼴찌를 전담하고 있어. 오늘도 난 천자문을 틀리게 읽어서 훈장님께 사랑의 회초리를 맞았지 뭐야. 솔직히 그렇게 아프진 않았는데 나를 보며 키득키득 웃던 범칠이, 덕팔이 그리고 웃음을 참느라 몸을 부들부들 떨며 웃던 판득이까지…….

너무 창피하고 속상해서 나도 모르게 눈물이 나왔어. 내 눈물을 보시고 훈장님께서 당황해하실 정도로 눈물이 쉽게 가시지 않았어. 아버지 말씀으론 지금보다도 더 예전엔 양반이 아니면 글을 배울 수도 없었는데 지금은 세상이 좋아져서 우리 같은 평민도 글을 배울 수 있게 된 거래. 나도 공부를 잘하고 싶지만, 책만 펴면 왜 이렇게 잠이 오는지…….

이번에 돌아오는 정월대보름 땐 내 연날리기 실력으로 나를 비웃던 녀석들의 코를 납작하게 만들어 주겠어! 미래의 너희는 어떤 모습으로 공부하고 어떤 옷을 입니? 수업이 끝나면 너희는 어디로 가서 무엇을 하니? 사실 내가 꼴찌인 데는 다 이유가 있다고! 나는 농사일을 돕거나 소여물을 주고 동생도 돌봐야 해서 하루가 정말 바빠 어른들 말씀이 지금도 많이 좋아진 세상이라는데 시간이 많이 흐른 미래의 너희의 세상은 더 좋아졌을까? 너희의 어제와 오늘은 어떤 일이 일어나고 있니?

* 학생 과제

현재 나의 삶을 이야기하고 싶은 자연스러운 장면 사진으로 찍어오기
- 친구들과 일부러 재미있게 연출해도 된다.
- 평소 핸드폰에 찍어둔 추억이나 소개하고 싶은 사진을 제출해도 된다.
- 꼭 사람이 아니거나 내가 아니어도 된다. 단! 본인이 나오지 않은 사진은 본인이 찍은 사진이어야 함.

명화 패러디 그리기 1차시 학습지도안은 다음과 같다.

학습지도안

학습주제	현대풍속화	요일	화	차시	1/4
		시간	오후 1시 20(45분)		
		장소	00 중학교		

대상	3학년 남녀학생		
학습 목표	1. 풍속화 감상을 통한 미적 체험 후의 현대 풍속과 삶의 표현활동을 통하여 과거와 현재의 특징 분석을 쉽게 이해한다. 2. 미술 감상 교육을 통해 창의적이고 심미적인 삶의 태도 향상과 작품을 바르게 이해한다.		
사전 준비	사진 찍기, PPT 자료, 연필, 지우개		

단계	학습 과정	학습 내용	유의점
도입	인사 및 학습 내용 설명	• 출석 체크 및 인사 • 모둠별 자리 배치 • 주제와 학습 목표 제시	
전개 1	동기유발 및 작품 감상	• 동기유발 - 작품을 소개하며 작품의 첫 느낌과 느낌을 자유롭게 이야기한다. - 교사가 퀴즈를 통해 질문하여 구체적으로 생각의 폭을 다양하게 넓혀준다.	작가에 대해 너무 많은 힌트를 주지 않도록 질문 선정에 유의한다.
전개 2	작품 분석	• 구체적으로 작품들을 감상한 후 사진 속에 나온 풍속의 특징을 찾도록 발문한다. • 스토리텔링과 작품 감상	학생들이 모둠활동을 모두 잘 참여할 수 있도록 조언한다.

		을 통해 시대적 환경, 차림새, 인물 탐구 등을 유추할 수 있도록 토론하며 그림으로 표현하고 싶은 나의 삶을 연상한다.	
전개 3	개념의 이해	• 풍속화 속 인물들의 삶과 시대적 배경을 관찰하고 이해한다. • 현대 풍경화로 표현하고 싶은 나의 삶 속 배경과 의도에 대해 구체적으로 생각하여 주제를 정한다.	학생들이 내용을 제대로 이해할 수 있도록 흥미로운 이야기를 넣어 구성한다.
정리	과제 및 정리	• 학생의 생각과 아이디어대로 친구들과 사진을 찍어 A4용지에 인쇄하여 가져온다.	미술반장이 사진을 모아오도록 한다.

스토리텔링으로 현재를 사는 학생과 과거를 사는 학생들을 연결하고 차이점과 공통점을 찾아주자 그들은 자연스럽게 자신의 이야기를 사진에 담았고 생각보다 꽤 진지하게 사진을 찍어왔다. 여러 번 다시 찍어 수정한 학생도 있었고, 친구의 모습을 찍기도 했으며, 반대로 자신이 찍히고 그려지는 것이 즐거운 학생도 있었다. 등하교하는 모습, 수업 중에 조는 모습, 게임을 하는 모습, 운동하는 모습, 친구와 장난을 치는 모습, 쉬는 시간의 모습, 학원에서

의 모습, 본인이 키우는 애완동물이나 가족과 동행하는 모습 등 늘 똑같은 일상이지만 한 번도 자세히 본 적이 없는 자기의 진짜 모습을 마주하고 이야기를 만들어 시와 제목을 만들어 내는 학생들의 모습은 모두가 진지한 작가였고 예술가였다.

<학생작품>

피씨방 도

Ⅱ|씨방에서의 게임은 어지럽고
바깥세상의 하늘은 평화롭다

오늘도

오늘도 피곤한 몸과
오늘도 의자에 앉아
오늘도 숙제를 한다

거북목도

나는 잘련다도

모가지가 위에서 자세가 삐딱한
불쌍한 인간이여 제발
운동좀 해라

집에서 피료한 짐,
학교에서 난 보충하련다

해 같은 존재가 아니지만 포영처럼
나를 감싸는 너에게 시를 받치리라

빛나도

덩크도

정용진인

백원만도

아. 너 백원있어? 아니 없어.
너트? 나도 없어..
아.. 누가 나한테 백원한도!!

교실도

이수정

8시 20분이다. 조회시간 10분전.
교실에 들어왔는데 다들 선생님만 들어다 본다.
조용하다.

2) 명화 패러디로 개그 본능 찾아내기

패러디(Parody)는 일반적으로 패러디란 한 작가의 스타일이나 습관을 흉내 내어 원작을 우스꽝스럽게 개작했거나 변형시킨 작품을 가리킨다. 당대의 지배적인 신념 체계 속에 내포된 억압적 특성이나 허위의식을 폭로하려는 예술가의 태도가 반영되어 있다. 명화 감상이라는 말을 하면 학생들은 지루한 생각을 하며 흥미를 잃는다.

그러나 명화 패러디는 느낌이 다르다. 원작을 패러디하려면 먼저 원작이 어떻게 생겼는지를 찾아야 하고 어떤 이야기가 숨겨져 있는지 알아야 하며 어떤 사연을 넣어서 패러디해야 할지 학생들은 고민하게 된다.

명화 패러디의 4차시의 수업 구성은 다음과 같다.

(1차시) 스토리텔링으로 명화 감상하기, 명화 선정과 패러디 디자인
(2차시) 원작의 이야기와 원작을 패러디한 작품 스토리텔링 하기(활동지 작성)

(3차시) 종이가방 디자인과 채색하기 - 앞면은 원작, 뒷면은 패러디
(4차시) 채색, 감상과 마무리

* 동기유발 질문하기

질문 1. 패러디가 뭘까?
질문 2. 패러디를 잘하려면 어떤 장치가 필요할까?
질문 3. 무엇을 패러디할까?

패러디를 잘하려면 유명하거나 시사적인 작품을 잘 알고 있어야 한다. 그리고 말하고자 하는 포인트를 정확히 집어내어 표현하여야 하며 새로운 내용과 느낌을 만들어야 한다. 그저 재미로 웃기려고 바꾸는 게 아닌 자기 상상력으로 개그 본능을 살려 재치 있는 나의 이야기로 만든다.

그러나 재미있게 하려는 것에 너무 치중해서 패러디를 과한 비하나 혐오감으로 오해하지 않도록 학생들의 문화에 어울리는 공감성과 구체성을 가져야 한다.

* 뭉크의 절규로 스토리텔링 들려주기

에드바르트 뭉크의 절규,
출처- 나무위키

뭉크는 친구들과 교외에서 산책 중 직접 체험한 것을 그린 작품이다. 그는 산책 중에 노을이 지는 것을 보고 그것이 불꽃과 피로 느껴지며 공포에 사로잡혔다.

뭉크의 귀에는 자연의 비명이 들렸고 그 자리에 얼어붙어 서서 공포에 떨었다. 뭉크는 이때 느낀 감정을 화폭에

생생하게 담아내었다.6)

* 그림 설명

화면 중앙에는 공포에 떨었던 자기 모습을 형상화한 남성이 서 있다. 검은 옷을 입은 남성은 해골과 같은 얼굴 모양으로 두려움에 떨며 자연의 비명을 막으려는 듯 귀를 손으로 막고 절규하고 있다.

남성의 몸이 곡선으로 왜곡되어 그가 느끼고 있는 공포감을 더욱 부각하고 있다. 뒤의 배경은 사선으로 구성되어 있다. 사선의 좌측에는 다리 위로 공포에 떠는 남성의 상황에 동떨어진 듯 걸어가는 두 사람의 실루엣이 보여 긴장감을 고조시킨다.

우측에는 중앙 남성과 연결되듯 굽이치는 검푸른 해안선과 붉게 노을 진 하늘이 있다. 감정을 왜곡된 형태와 강렬한 색채, 율동감이 느껴지는 선으로 드러내어 감상하는 사람의 감성을 자극한다.

* 심슨의 절규 패러디로 스토리텔링 하기

<심슨의 절규, 출처- 네이버
블로그 티키타카>

나는 외계에서 온 외계인 심슨이야 우린 머리카락에 초
능력이 있어 그런데 내 능력을 눈치챈 누군가가 자꾸 내
머리를 뽑아가는 것 같아. 자고 일어날 때마다 머리숱이
점점 줄어들더니 이젠 딱 두 가닥 남았어. 머리카락이 모
두 뽑히면 나는 능력을 잃게 되고 사랑하는 가족들과 떨
어져 다시 고향으로 가야 해서 난 두 가닥 남은 머리카락
을 지키느라 늘 노심초사야. 그러던 어느 날 붉은 저녁노
을이 지고 있는 저녁이었어.

나는 가족들과 산책하고 있었는데 그때 내 귀에 이상한 소리가 들리기 시작했어.

" 내 머리카락 내놔~~! 두 가닥만 내놔!"

두 가닥밖에 남지 않은 내 소중한 머리카락을 노리는 녀석이 있는 것 같아서 공포에 질린 나는 귀를 틀어막고 비명을 질러댔어. 극한의 공포! 난 대머리가 되고 싶지 않아!

명화 패러디 그리기 1차시 학습지도안은 다음과 같다.

학습지도안

학습주제	명화 패러디	요일	수	차시	1/4
		시간	오전 10시 50분(45분)		
		장소	00 중학교		
대상	3학년 남녀학생				
학습 목표	1. 다양한 명화를 감상하고 패러디의 개념을 안다. 2. 명화 패러디 작품을 사회적 맥락에서 이해하고 설명할 수 있다. 3. 자신만의 방식으로 명화를 재해석하여 표현할 수 있다.				
사전 준비	교과서, PPT, 참고 작품, 색채 도구, 종이가방				
단계	학습 과정	학습 내용			유의점

도입	인사 및 학습 내용 설명	• 출석 체크 및 인사 • 모둠별 자리 배치 • 주제와 학습 목표제시	
전개 1	개념 이해	• 동기유발 - 명화와 패러디를 함께 소개하며 비교하고 패러디의 개념과 시작에 대해 배운다. - 일상에서 사용되고 있는 패러디를 소개하고 원하는 작품의 원작을 고른다.	자칫 표현에 있어 개그적인 요소가 비난이나 혐오스러운 표현이 되지 않도록 패러디의 개념을 바르게 이해한다.
전개 2	아이디어 스케치	• 종이가방의 앞면에는 원작을 뒷면에는 원작을 활용한 패러디를 구상한다. • 배경이나 주인공에 변화를 주기도 하고 상황을 설정하여 패러디한다.	학생들의 재치가 잘 나올 수 있도록 쉽고 재미있는 작품의 예를 보여준다.
전개 3	세부화하기	• 패러디를 통해 하고 싶은 이야기를 구체적으로 세분화한다. • 주제와 맞는 좋은 패러디가 무엇인지 토론한다.	
정리	준비 및 정리	• 아이디어 스케치가 완성된 후 종이가방에 들어갈 그림	원하는 그림을 스스로 찾고

		을 크기와 구도에 맞게 수정 및 구상하기.	선택한 이유를 설명할 수 있도록 한다.

<학생작품>

원작 그리기　　　　　　　　　　패러디

스토리텔링으로 원작과 패러디에 이야기라는 요소로 변화를 주자 학생들의 작품에도 표정이 생기고 내용이 생기기 시작했다.

수시로 자기의 패러디 작품을 보여주고는 재미있다며 웃기도 하고 자기 작품을 다른 학생들에게 설명하고 싶어하는 모습을 보였다. 서로의 이야기와 그림에 학생들이 관심을 가지며 흥미를 느꼈다. 그리는 과정에서도 진지한 모습을 보이기도 했다. 자신이 어떤 내용으로 패러디 한 것인지 그림을 설명할 때는 즐거운 표정을 보이기도 했다.

본인이 좋아하는 캐릭터로 변화시켜 주거나 행동이 변화되거나 표정이 반대로 된다거나 하는 간단한 변화만으로도 재미있는 이야깃거리를 만들 수 있어서 쉽게 진행할 수 있었다.

3) 초현실주의 세상에서 너의 세상을 펼쳐봐!

초현실주의는 1920년대 프랑스에서 일어난 예술 운동으로, 초현실적이고 이성의 굴레에서 벗어난 세계를 추구하는 것을 말한다. 말 그대로 현실을 뛰어넘은 초현실

(surreal)을 다루는 걸 추구하며 여기서 초현실은 프로이
트 같은 정신분석학에서 영향을 받은 무의식
(unconsciousness)의 세계를 말한다.7)

* 동기 유발하기

그림<살바도르 달리의 코끼리를 비추는 백조, 출처 위키 백과>,
PPT<이은미의 소장 자료>

1) 퀴즈 - 초현실주의의 작품을 감상할 때 스토리텔링과
함께 퀴즈를 만들어 무엇을 그린 것인지 작가의 의도를
생각해 보도록 하였다.

| 강제 결합 | 크기 바꾸기 | 의인화 |

2) 학생들에게 초현실주의 창의적이고 재미있게 표현하기 위해 몇 가지 장치를 아이디어 스케치 학습지에 제시하였다.

초현실주의 그림의 4차시의 수업 구성은 아래와 같다.

(1차시) 스토리텔링으로 명화 감상하기
(2차시) 디자인과 작품 스토리텔링 하기(활동지 작성)
(3차시) 초현실주의 그림 스케치하기
(4차시) 채색, 감상과 마무리

* 르네 마그리트의 '겨울비'로 스토리텔링 들려주기

스토리텔링을 듣고 다음 장면을 상상하여 초현실적 그림으로 연결할 수 있다.

르네 마그리트의 겨울비, 출처- 나무위키

후드득후드득 무슨 소리 같아요?

하늘에서 비가 내려오는 소리예요. 오랜만에 내리는 겨울
비 소리가 반가운 마음에 비를 구경하고 싶어 창문을 열
었어요.

그런데 하늘에서 내리는 겨울비의 모습은 내가 생각했던
평소의 모습이 아니었어요. 눈 앞에 펼쳐진 상황을 보자
내가 꿈을 꾸고 있다고 생각했어요. 너무나 신기한 처음
보는 광경이었죠.

하늘에선 멋진 중절모와 정장을 입은 신사들이 흐트러짐
없는 꿋꿋한 자세로 내려오고 있었어요. 땅으로 떨어진 신
사들은 줄을 지어 어디론가 가고 있었어요. 그때였어요.

"딩동!" 벨 소리가 울렸어요. 문 앞에는 신사들이 줄지어
서 있었어요.

"대체 이게 무슨 일이지?"

* 제작 과정

자료수집	아이디어 구상과 스케치	완성

초현실주의 그리기 1차시 학습지도안은 다음과 같다.

학습지도안

학습주제	초현실주의 그림 그리기	요일	목	차시	1/4
		시간	오전 10시 50분(45분)		
		장소	00 중학교		
대상	2학년 남녀 학생				
학습 목표	1. 다양한 명화를 감상하고 초현실주의의 개념을 안다. 2. 초현실주의에서 사용하는 다양한 표현기법을 이해한다. 3. 참신한 아이디어 발상을 통해 창의적으로 표현한다.				
사전 준비	교과서, PPT, 참고 작품, 필기도구, 8절 도화지				

단계	학습 과정	학습 내용	유의점
도입	인사 및 학습 내용 설명	• 출석 체크 및 인사 • 모둠별 자리 배치 • 주제와 학습 목표 제시	
전개 1	개념 이해	• 동기유발 - 초현실주의 대표 작가와 명화를 스토리텔링으로 감상한다. - 초현실주의 개념과 구상 디자인 이해한다.	*쉬운 전개를 위해 자신의 이야기와 공상을 연결한다.
전개 2	아이디어 스케치	• 초현실적 묘사가 무엇인지 토론한다. • 그림에 참고할 사진 자료	*학습지 활용

		를 찾는다. • 자신의 초현실적 세상을 디자인하여 스케치한다.	
전개 3	세부화하기	• 그림을 구상하여 스토리텔링을 한다. • 그림을 통해 하고 싶은 이야기를 구체적으로 세분화한다.	
정리	준비 및 정리	• 아이디어 스케치가 완성된 후 도화지에 들어갈 그림을 크기와 구도에 맞게 수정 및 보완한다.	

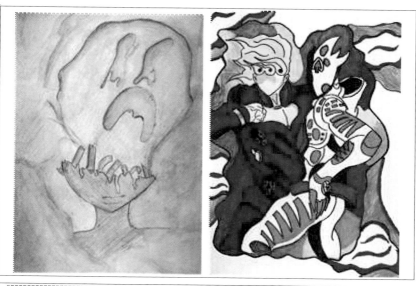

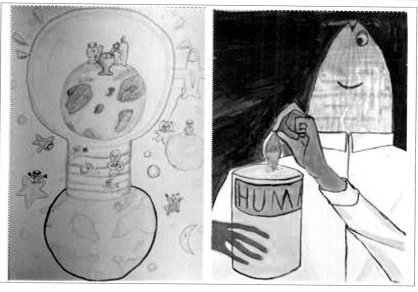

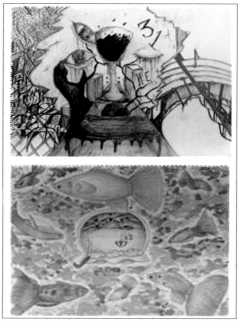

3. 소통.
작품과 에피소드 이야기

1) 대머리 꽃이 피었습니다. (현대풍속화)

) 원작과 패러디 중 뭐가 패러디야? (명화패러디)

3) 자유로운 샴쌍둥이 (초현실주의)

3. 작품과 에피소드 이야기

"그림을 그리지 않았다면 몰랐을 이야기"

1) 대머리 꽃이 피었습니다. (현대풍속화)

그림에도 별명이 생긴다. 학생들이 매우 좋아했던 그림이 있었다. 아주 짧은 머리의 남학생이 화단에 머리를 박은 뒷모습 그림이다. 그 그림을 보고 한 학생이 크게 외쳤다.

"대머리 꽃이 피었습니다!"

기발한 재치에 나와 학생들은 크게 깔깔대며 한참을 웃었다.

이 그림의 주인공인 Y 군은 조용하지만, 친구들과 사이가 좋고 포용력이 넓은 마음이 넉넉한 학생이다. 특히나 그의 특징인 짧은 머리는 항상 재미있는 비유로 친구들을 즐겁게 해준다. 이 머리로 친구들의 관심을 받는 것에 대해 본인도 즐기는 듯 보인다. 어떻게 재미있는 사진을 찍을까 하고 학생들은 고민하며 여기저기 돌아다니다 화단을 발견했을 것이다. 자신의 빡빡머리를 화단에 박아가며 친구에게 멋진 사진을 남겨준 Y 군의 뿌듯함과 사진을 찍으며 자기들끼리 배꼽을 잡았을 모습을 상상하면 학생들이 수행평가를 즐겁게 준비했구나! 라는 생각에 행복해진다.

이 그림의 진짜 제목은 '꽃보다 00도(이름)'이다. 제목과 그림의 적혀있는 짧은 시에는 Y 군이 기분 나쁘지 않을 수위의 웃음 요소와 그가 좋은 친구라는 느낌이 보인다.

"꽃보다 00도
오늘도 이쁘다 00이는……."

선생님의 마음: 그래 맞다. 너희는 정말 꽃보다 예쁘다.

2) 원작과 패러디 중 뭐가 패러디야? (명화 패러디)

 명화 패러디 수업은 종이가방의 앞면에는 원작을 최대한 그대로 표현하고 뒷면은 앞면의 원작을 패러디한 그림을 그리는 수업이었다.

 물론 각자의 개인 차이가 있어서 열심히 그려보지만, 원작과 비슷하게 그리는 것이 쉽지는 않았을 것이다. 어려워서 똑같이 안 된다는 학생들에게 '미대를 나온 나도 원작과 똑같이 그리는 것은 어려우니 최대한 열심히 비슷한 느낌을 내보자! 선생님은 너의 열심을 본다'라고 말하며 독려와 용기를 주었다.

 한창 수업 중인데 어디선가 웅성거리며 킥킥거리는 소리가 들리기 시작했다. 무슨 일인지 물으니 한 학생이 곤란한 표정으로 얘기한다.

 "선생님 저는 원작을 정말 최선을 다해 그렸는데 애들이 패러디냐고 하는데 어떻게 해요?"

 그 학생의 그림을 누군가가 놀렸나 싶어서

“누가 S 군의 그림을 놀리니? 원작이라잖아!”

라고 말하며 S 군의 그림을 들어 올렸다. 패러디가 그려져 있기에 뒷면에 원작을 그린 줄 알고 뒤집어 보았다. 당혹스럽게도 뒷면도 원작이라 보기 어려운 그림이다.
나는 이렇게 말했다.

“본인의 마음과 다르게 둘 다 패러디가 그려지는 친구도 있을 수 있어. 그럴 수 있지~ 괜찮아! 뭐 어때? 내가 열심히 그린 건데 안 그래? 본인이 구별할 줄 알면 되지! 선생님은 뭐가 원작인지 구별하기 어려운 그림을 만나도 최선을 다한 그림은 구별할 줄 안다! 최선을 다한 그림이면 되는 거야!”

기가 산 S 군은 웃으며 얘기한다.

“거봐 쌤이 괜찮다고 하시잖아! 너희들은 패러디 두 개씩 그릴 줄 알아?”

선생님의 마음: 꼭 그림 실력이 중요한 게 아니란다. 내가 표현하고 싶은 것을 표현할 수 있는 자신감과 노력이 더 중요하지! 선생님이 주는 수행평가 점수보다 내 그림을 소중하게 생각해서 포기하지 않는 마음이 더 귀하단다.

둘 다 패러디?

3) 자유로운 샴쌍둥이 (초현실주의)

미술이라는 과목의 특성 때문인지 개별 반 학생들과 나는 좀 유달리 친하게 지낸다. 그들의 순수하고 천천히 성장하는 속도가 아동미술을 동반하고 있는 나와 잘 맞고 그림을 통해 순수하게 소통할 수 있기 때문이다.

그중에 아주 순수하게 그림을 그렸던 J 군이라는 학생이 있었다. 학기 중간에 온 친구라 나와는 아주 짧은 시간을 만났지만, 미술 수업을 즐기고 집중하는 모습이었다. 체구가 작은 나는 J 군을 한참 올려봐야 할 정도로 체격이 크고 힘도 센 학생이었다. 그리고 우람한 체구와는 달리 귀여운 표정의 얼굴과 또래의 친구들처럼 사춘기를 겪고 있는 순수하고 여린 마음을 가졌다.

초현실주의 수업을 설명했을 때 J 군의 반짝였던 눈이 생각난다. 그 눈을 보면서 J군은 어떤 모습을 상상하고 있을지 궁금했다. 다른 학생들은 자료를 수집하고 구상하여 아이디어 스케치를 하는데 자료수집도 없이 바로 연필을 들고 스케치하는 모습을 보였다. 아마도 머릿속 자신만의 초현실주의 세상에 많은 자료가 이미 수집되어 있었을 것이다. J군은 스케치 전에 내게 자기 생각을 설명한 후 누구보다 집중해서 열심히 그림을 그렸다.

"선생님 샴쌍둥이 그려도 돼요?"

"그럼! 물론이지, 아주 멋지겠구나! J는 왜 샴쌍둥이가 왜 초현실주의 그림에 맞는다고 생각하니?"

" 초현실 세상에서는 샴쌍둥이가 자유롭거든요!"

 가장 첫 번째로 작품을 완성한 J 군은 뿌듯한 표정으로
그림을 제출했다. J 군의 그림에 반한 나는 그림을 들고
소리 질렀다.

" 세상에! 너의 세상은 너무 멋지고 예뻐!"

선생님의 마음: 용기 내어 너의 세상을 꺼내 보렴!

-에필로그-

날 기다리는 포켓몬 빵 스티커

어느 날 복도에서 마주친 한 2학년 남학생이 빵을 먹고 나온 스티커를 내게 가져왔다.

" 이거 선생님만 드리는 거예요."

'이게 뭐지? 초등학생도 아니고 중학교 2학년 학생이 스티커를 주다니 쓰레기를 나에게 주나?'라고 생각했다가 '선생님만'이라는 단어가 귀에 박혔다. 종이 쳤고 그냥 버리기가 그래서 급히 책상 유리에 꺼놓고는 수업에 들어갔다. 그러고는 잊고 있었는데 그 학생이 내게 물었다.

"제가 드린 스티커 잘 있어요?"

그때 아무렇게나 끼워뒀던 스티커가 떠올랐다.

"그럼! 내 책상 유리에 잘 끼워뒀지! 나만 준거라고 했으니 소중한 거잖아!"

그러자 학생의 눈이 커지면서 놀랍다는 표정을 짓는다.

"진짜요? 보러 가도 되나요?"

얼마든지 와서 보고 가라고 하고는 나는 수업에 들어갔다.
그 학생은 그 뒤로도 빵을 먹고 나온 스티커가 생기면 내게 가져왔다. 좀 난감하긴 했지만 나는 책상 유리에 계속 끼워두었다.

그러던 어느 날 같은 교무실을 쓰는 선생님들이 이야기해 주셨다.

"선생님 M 군이 선생님이 안 계실 때 매일 와서 선생님 책상을 한참 쳐다보고 뿌듯하게 웃다가 가요."

내게 스티커를 준 학생은 평소에 수업에 의욕도 없고 장난만 치던 약간 주의할 인물인 학생이었다. 그 이후부터 M 군은 수업 태도가 좋아졌다. 졸지도 않고 떠드는 학생이 있으면 선생님 말씀 좀 잘 들으라고 호통을 치기도 하고 내 편을 들어준다. 다른 선생님들은 그 학생이 수업에

도무지 집중하지 않아 힘들다고 하시는데 미술 시간만큼은 같은 반 학생들도 의아해할 정도로 열심히 한다.

물론 그림 실력이 뛰어나지도 않고 미술 수업을 좋아하는 학생이 아니었다. 해가 바뀌고 M 군은 2학년을 그렇게 나와 보내고 3학년이 되었다. M 군은 더 이상 내 수업을 들을 수 없었다. 3학년에 가서는 다른 미술 선생님을 만났기 때문이다. 그런데도 그 학생은 계속해서 나를 찾아와서 내 책상 유리 밑에 모인 스티커를 보고 가곤 했다. 그리고 졸업해도 스티커를 보러 오겠다는 말을 남기고 졸업했다. 아직 한 번도 오지 않았지만, 혹시나 와서 자신의 스티커를 찾을까 봐 나는 그 스티커를 버리지 못했다. 우연히 끼워 넣은 스티커 한 장을 시작으로 M 군과 나는 재미있는 사연을 만들어 갔다.

내가 수업을 잘했거나 말로 그 학생을 감동하게 해서 M 군이 미술 수업을 좋아하게 되고 수업에 열심히 참여하게 된 것이 아니다. 어쩌면 학생 처지에서는 빵을 먹고 나온 쓸모없는 스티커를 쓰레기통이 아닌 우연히 지나가는 내게 선심 쓰듯 건넸을지도 모른다. 그런데 그걸 기억하고 책상에 끼워 넣은 선생님의 모습에 자신을 소중하게 생각하고 존중해 주는 느낌을 받았을 것이다. 내가 수업하는 동안 그 학생이 나를 존중하고 있다는 느낌을 수시로 받았기 때문에 알 수 있었다.

나 또한 무심코 책상 유리에 끼워두고 잊어먹었던 스티커가 한 학생과의 연결고리가 되어 즐거운 사연이 만들어질 줄 전혀 예상치 못했다.

학생들과 재미있는 수업 그리고 서로 존중하는 수업이 되려면 서로가 소통하고 공감할 수 있으면 된다. 그 연결고리는 나의 사소한 행동과 눈빛 또는 말로 시작된다는 것을 느낀다.

노력과 시간을 통해 잘 준비된 수업을 하려고 했는데 마음처럼 학생들이 따라주지 않을 때 실망스러운 마음을 갖게 된다. 나 또한 무엇이 문제인가를 고민했고 고민하고 있다. 그러나 선생님의 노력과 준비는 의심하지 않길 바란다. 이 책을 통해 내가 전하고 싶은 이야기는 내 수업을 들어줄 학생들의 이야기를 먼저 듣고 싶은 교사가 되어주길 바란다.

학생들의 이야기는 수업을 만들기에 매우 유익하고 충분한 스토리텔링이 될 수 있다. 나 역시 늘 부족하고 노력하는 교사이고 성장하고 싶은 교사다. 그래서 매일 노력해야 한다. 오늘도 내 수많은 빵 스티커들의 이야기를 나는 귀가 아닌 가슴으로 들으려 노력한다.

그러기 위해 앞으로 미술교육 소통 교육자로 다양한 활동을 하며 끊임없이 공부하고 발전할 것이다. 스토리텔링을 활용한 미술 수업은 중등 시리즈, 초등시리즈, 영·유아 시리즈로 넓혀 계속해서 풀어나가려 한다. 더 많은 내용은 현장 강의와 앞으로 출간될 책을 통해 만나게 될 것으로 기대한다.

이은미 선생님과 예술로 소통하기

행복한 뮈쌤의 블로그
N https://m.blog.naver.com/0dmsal237

@MIMILUALU

행복한 뮈쌤의 인스타그램
https://www.instagram.com/mimilualu

행복한 뮈쌤을 소개합니다.
https://m.site.naver.com/1p2hq

각주와 참고문헌

1) 이창용 외.「이야기의 힘」. 황금물고기. 2011. p. 219.
2) 한국문학평론가협회.「문학비평용어사전」. 2006. p. 283.
3) 미술과 교육과정. 2015 개정. 교육부.
4) 미술과 교육과정. 2022 개정. 교육부.
5) 이혜숙.「미술 수업에서 스토리텔링의 적용」. 전남대학교
   교육대학원. 2008. P. 9(재인용)
6) 최문영의 그림산책.「에드바르 뭉크의 '절규 The Scream」.
   2022.10.24.경기 일보
7) 초현실주의. 모더니즘의 역사 서양미술사의 시대·시조. 나무위키